광개토대왕

대륙을 정복하다

원작 김부식 글 구들 그림 박의식 감수 금경숙

딸가닥 딸가닥!

고구려 수도 국내성* 벌판 위로 말을 타고 달려가는 젊은이가 있었어요.

이 젊은이의 이름은 담덕이었어요. 우뚝한 콧날과 짙은 눈썹이 돋보이는 담덕은 고구려 제18대 고국양왕의 아들이었지요.

고구려는 후연*, 거란* 등과 국경을 맞대고 있어 전쟁이 끊이지 않았어요.

그래서 담덕도 열다섯 살 때부터 전쟁터에 나가 큰 공을 세웠답니다.

담덕은 시간이 날 때마다 말을 타고 드넓은 들판을 한없이 달리곤 했어요.

'답답하다! 아무리 달려도 답답하다!'

담덕은 고구려 땅이 좁다고 생각했어요. 물론 남쪽의 백제와 신라에 비하면 고구려의 땅은 넓었지요. 하지만 전쟁터에 나갈 때마다 담덕은 끝도 없이 넓은 중국 땅을 바라보며 야망을 키워 갔답니다.

"국토를 더 넓혀야 한다. 내가 반드시 해내고 말 것이다!"

담덕은 답답한 마음을 떨쳐 버리려는 듯 지평선을 향해 끝없이 달려갔어요.

*국내성 : 고구려의 두 번째 수도로 오늘날 만주 일대
*후연 : 중국 선비족이 세운 나라
*거란 : 고구려 북쪽에 위치하던 퉁구스족과 몽고족의 혼혈로 형성된 유목 민족

"왕자님! 큰일 났습니다!"

담덕이 대궐 앞에 도착하자 한 신하가 뛰어오며 외쳤어요.

"왕자님! 폐하께서……, 지금……."

담덕은 부리나케 대궐로 뛰어 들어갔어요.

고국양왕은 몇 달째 병을 앓고 있었는데

좀처럼 회복되지 않아 온 백성이 걱정을 하고 있었지요.

걱정스러운 표정을 지으며 들어오는 담덕에게 고국양왕은 손을 꼭 잡고 말했어요.

"담덕아, 우리는 대륙으로 영토를 넓혀야 한다. 그런데 지금 우리는

대륙으로 뻗어 나가기는커녕 백제 근초고왕에게 공격을 받고 한강 유역을 빼앗겼다.

뿐만 아니라 백제는 네 할아버지 고국원왕을 죽인 원수이다.

나는 그 복수를 갚지 못하고 떠나게 될 것 같구나.

부디 네가 그 뜻을 이어 다오."

말을 마친 고국양왕은 숨을 거두었어요.

"폐하!"

대신들이 목 놓아 울었어요.

하지만 담덕은 눈물을 삼키며 목청껏 외쳤어요.
"아바마마! 제가 반드시 아바마마의 뜻을
이루겠나이다!"

고국양왕이 세상을 떠나자 열여덟 살의 담덕이 다음 왕위를 이었어요.
바로 고구려 제19대 광개토대왕이었지요.
"왕이 너무 어리단 말이야. 아무래도 불안해."
대신들은 모이기만 하면 걱정을 늘어놓았어요.
'나이가 어리다고 나를 깔보는 모양이구나.
좋아, 어릴 때부터 갈고 닦아 온 나의 실력을 하나하나 보여 주겠다!'
광개토대왕은 굳게 다짐했어요.
"돌아가신 고국양왕께서는 우리가 한강 유역을 되찾고, 고국원왕의
원수를 갚기 원하셨소. 그래서 내가 군사 4만 명을 이끌고 백제를 치려고 하오!"
광개토대왕의 말에 대신들은 목소리를 높여 반대했어요.
"4만 명이나 되는 군사를 이끌고 가시면 대궐은 누가 지키란 말씀이십니까?"
그러자 광개토대왕이 버럭 소리를 질렀어요.
"나는 고구려의 왕이오! 내가 가는 곳이 곧 대궐이오!
지금 당장 군사를 모으도록 하시오!"
젊은 왕의 기세에 눌린 대신들은 광개토대왕의 말을 따를 수밖에 없었지요.

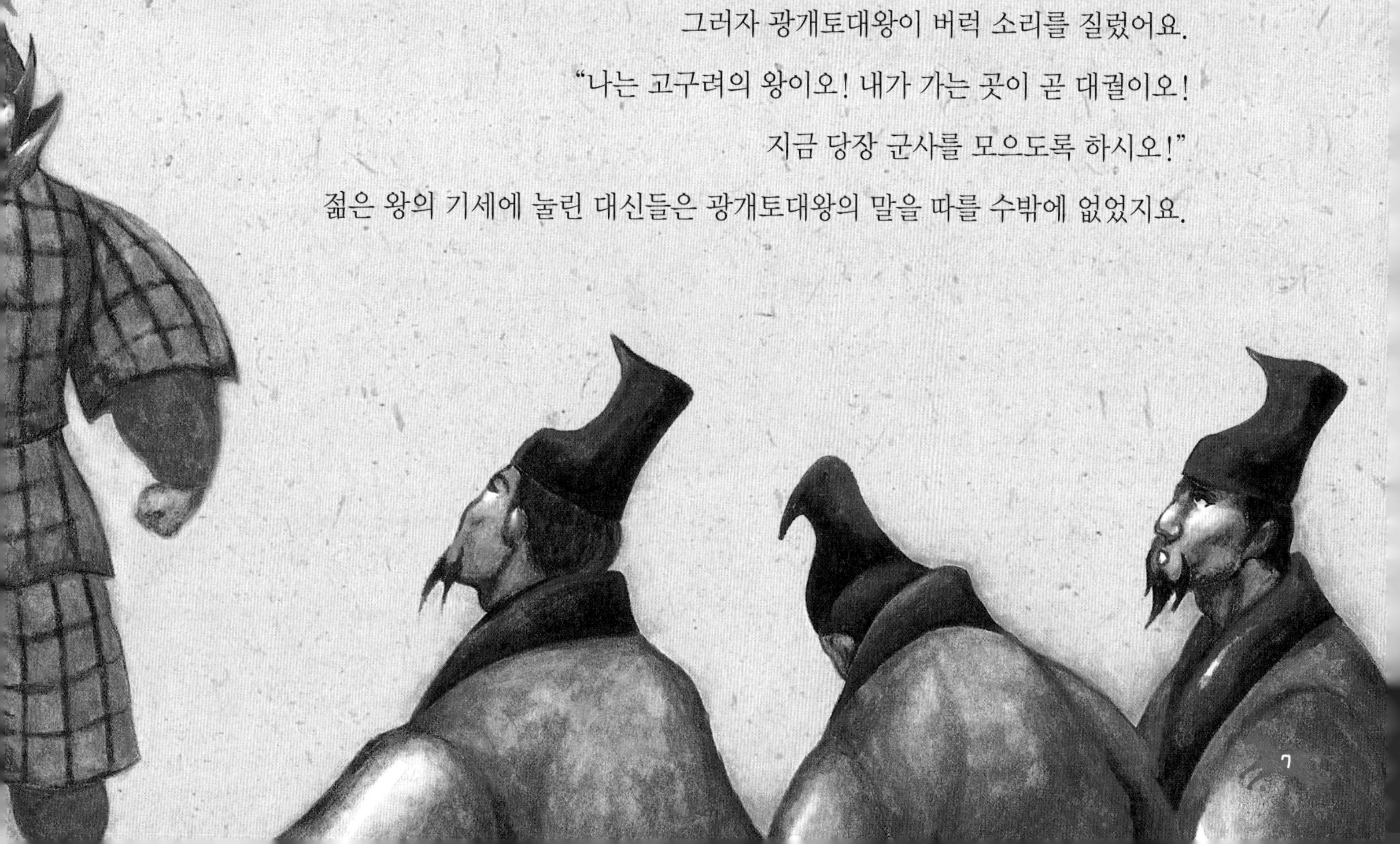

왕위에 오른 다음 해에 광개토대왕은 군사 4만 명을 이끌고 백제를 공격했어요.
광개토대왕이 백제를 차지하려는 데에는
고국양왕의 유언을 따르려는 이유도 있지만 식량 때문이었어요.
고구려의 국토는 넓었지만 날씨가 춥고 땅이 거칠어 농사가 잘 되지 않았어요.
하지만 백제 땅은 한반도에서 가장 넓고 기름진 곳이었지요.
'백제의 기름진 땅을 빼앗으면 우리 고구려 사람들은 더 잘 살 수 있다.
반드시 빼앗고 말겠다.'
백제의 진사왕은 스무 살도 안 된 고구려 왕이 군사를 이끌고
백제를 치러 온다는 소식을 듣고는 코웃음을 쳤어요.
"고구려 왕은 아직 애송이다! 두려워 말고 나가서 싸워라.
승리는 백제의 것이다!"
하지만 진사왕의 생각은 틀리고 말았어요.

광개토대왕이 이끄는 고구려군은
20일 간의 전투 끝에 백제의 관미성*을 빼앗았어요.
관미성은 한강과 서해가 만나는 곳에 자리 잡은 성으로
매우 중요한 교통로이자 무역로*였어요.
관미성을 차지한 고구려는
한강과 서해를 모두 지배하게 되었지요.

*관미성 : 오늘날 경기도 파주시 탄현면에 있는 백제 시대의 성
*무역로 : 지방과 지방 사이에, 혹은 나라와 나라 사이에 물품을 사고팔 수 있도록 만든 길

광개토대왕이 백제의 관미성을 빼앗아
한강 유역의 땅을 되찾자 대신들은 깜짝 놀랐어요.
더 이상 왕이 나이가 어리다는 것을 문제 삼지 못했지요.
모든 백성이 광개토대왕을 우러러보았어요.
"젊고 용맹한 왕 덕분에 기름진 땅에서 농사를 짓게 되었으니 얼마나 좋은가!"
"지금껏 조, 귀리* 같은 잡곡만 먹었는데 이제는 윤기가 자르르 흐르는
쌀밥을 실컷 먹을 수 있게 되었네그려!"
한편, 관미성을 잃은 백제의 진사왕은 그만 울화병이 나고 말았어요.
"관미성을 잃었으니 이제 한강을 통해 서해로 나갈 수 없다.
서해로 나가는 길을 잃었으니 중국으로도 갈 수 없고, 왜*나라로 가기도 어려워졌다.
우리 백제는 이제 독 안에 든 생쥐 꼴이 되고 만 거야!"
시름시름 앓던 진사왕은 결국 세상을 떠나고,
진사왕의 조카가 왕위를 이어 아신왕이 되었어요.

*귀리 : 볏과의 풀로 열매를 먹음
*왜 : 일본의 옛 이름

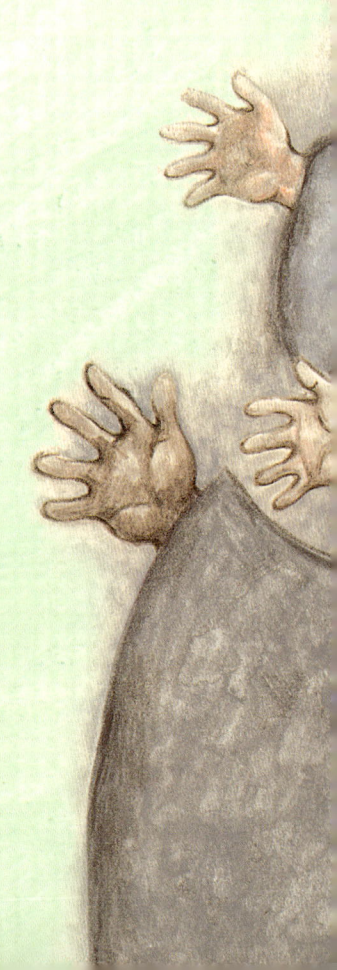

아신왕은 왕위에 오르자마자 군사 1만 명을 이끌고 관미성으로 쳐들어갔어요.
그즈음 광개토대왕은 고구려 북쪽에 있는 거란족과 싸우고 있었지요.
아신왕은 이때야말로 하늘이 내린 기회라고 생각했어요.

"관미성을 되찾지 못하면 백제는 다시 힘을 얻을 수 없다.

목숨을 걸고 관미성을 되찾아라!"

하지만 이미 광개토대왕이 관미성을 튼튼하게 고쳐 놓았기 때문에

백제군이 들이닥쳐도 고구려군은 끄떡도 하지 않았어요.

결국 한 달을 싸운 끝에 백제군은 물러났어요.

식량도 다 떨어지고, 다친 군사가 늘어나자 더 이상 버틸 수 없었던 거예요.

'광개토대왕이 없어도 이 정도인데 만약 광개토대왕이 직접 군사를 이끌고 왔다면……'

그 후로 군사들은 광개토대왕이라는 이름만 들어도 벌벌 떨었어요.

몇 년 후, 아신왕은 동생 훈해에게 군사 1만 명을 주고
고구려로 들어가는 중요한 관문인 수곡성*을 빼앗으라고 명령했어요.
그러자 거란족과 싸우고 있던 광개토대왕은 급한 마음에 겨우 5천 명밖에 안 되는
군사를 이끌고 수곡성으로 달려왔지요. 광개토대왕은 군사를 둘로 나누었어요.
"자, 앞에 있는 군사들은 백제군과 맞붙어 싸워라!
그리고 나머지 군사들은 백제군의 뒤쪽에 숨어 있다가 공격하라!"
수곡성에 도착한 백제군은 멀리서 고구려군을 보고 비웃었어요.
"적군의 수는 우리의 4분의 1밖에 안 된다! 우리가 이긴 싸움이다! 단번에 무찌르자!"
하지만 고구려 군사들이 죽음을 무릅쓰고 용감하게 달려들자
백제군은 점점 밀리게 되었지요.

*수곡성 : 오늘날 황해도 신계

그때였어요.

백제군 뒤쪽에서 요란한 함성이 울려 퍼지며 고구려 군사들이 달려들었어요.

"속았다! 함정이다!"

백제군은 우왕좌왕했어요.

백제군은 고구려 군사들에게 꼼짝없이 둘러싸여 대부분 목숨을 잃고 말았어요.

"와아!"

기쁨에 젖은 고구려군의 함성이 울려 퍼졌어요.

광개토대왕은 군사들에게 힘차게 외쳤어요.

"이제 우리의 목표는 드넓은 만주 벌판과 중국 대륙이다. 한강 유역까지 빼앗았으니 이제 남쪽에 신경 쓸 이유가 없다. 이제부터 이곳에 성을 쌓을 것이다. 더 이상 백제가 우리 고구려의 남쪽을 넘보지 못하도록 튼튼한 성을 쌓도록 하라!"

전쟁이 끝난지 얼마 되지 않았지만 고구려 군사들은 불평하지 않고 열심히 성을 쌓았어요. 이렇게 해서 단 한 달 만에 고구려 남쪽 지역에 성이 일곱 개나 세워졌어요.
광개토대왕은 자랑스럽게 국내성으로 돌아왔지요.
고구려 백성들은 광개토대왕을 환호하며 맞았어요.

하지만 백제의 아신왕도
순순히 물러서지는 않았어요.
몇 년 후, 아신왕은 진무 장군에게
군사 2만 명을 주며, 다시
고구려를 공격하라고 명령했어요.
2만 명의 군사를 거느린
진무 장군은 거칠 것 없이
고구려로 쳐들어갔어요.

백제군은 지난번 전투에서 크게 패했던 수곡성을 무너뜨리고, 북으로 나아가 예성강을 건넜지요.

이 소식을 들은 광개토대왕은 군사 7천 명을 이끌고 예성강으로 달려갔어요.

이번에도 고구려군은 백제군의 절반도 되지 않았어요.

하지만 진무 장군은 마음을 놓지 않았어요.

수곡성 전투가 어떠했는가를 잘 알고 있었기 때문이에요.

와아아!

챙그랑! 챙강!

백제군과 고구려군은 한 치의 양보도 없는 싸움을 벌였어요.

하지만 이번에도 백제군이 밀리고 말았지요.

광개토대왕이 이끄는 고구려군은 닷새 만에 백제군을 물리쳤어요.

진무 장군은 눈물을 머금고 물러났지요.

처음에 2만 명이었던 백제군 가운데 8천 명이 넘는 군사가 목숨을 잃었어요.

예성강 전투에서 8천 명이 넘는 백제군이 죽었다는 소식을 듣고 아신왕은 이를 갈았어요.

"더 이상 참을 수 없다! 이번에는 내가 직접 나서서 싸우리라!"

그해 겨울, 아신왕은 예성강 전투에서 살아 남은 군사 1만 명과 새로운 군사 7천 명을 이끌고 한강을 건넜어요.

아신왕의 군대가 청목령*에 이르렀을 때, 함박눈이 내리기 시작했어요.

눈은 점점 더 세차게 내리더니 무릎까지 쌓였어요.

게다가 매서운 추위까지 몰아닥쳐 백제 군사들은 대부분 동상에 걸리거나 얼어 죽었어요.

"아! 하늘이 나를 버리시는구나."

아신왕은 이렇게 탄식하며 군대를 되돌려 백제로 돌아왔어요.

*청목령 : 오늘날 경기도 개성

광개토대왕은 아신왕이 청목령까지 쳐들어왔다는 소식을 듣고 생각에 빠졌어요.
'이제 더 이상 같은 민족인 백제를 공격하지 않으려 했다.
대신 중국과 거란을 정복하려 하였는데 백제의 아신왕은 이런 내 마음을 몰라주는구나.'

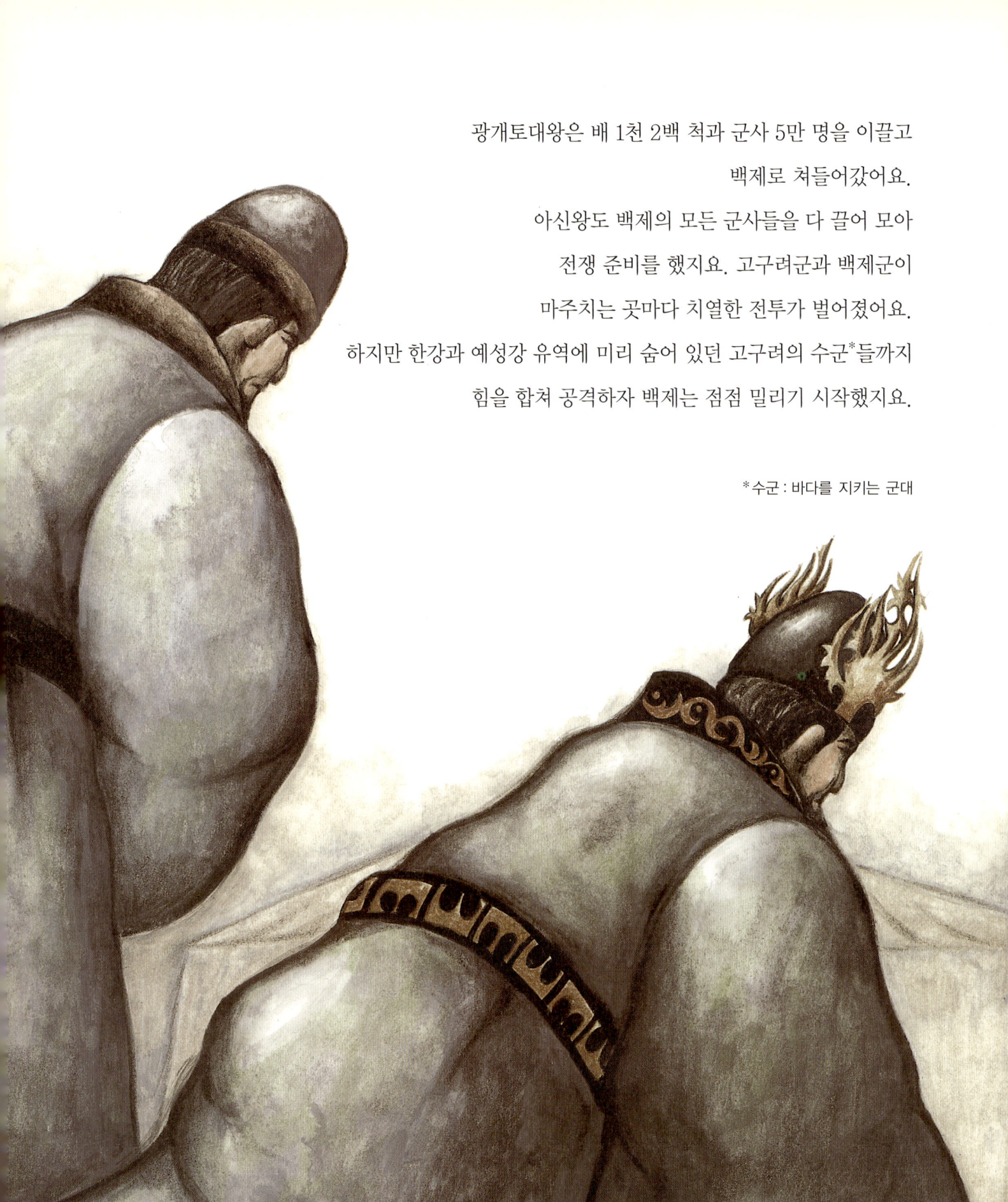

광개토대왕은 배 1천 2백 척과 군사 5만 명을 이끌고
백제로 쳐들어갔어요.
아신왕도 백제의 모든 군사들을 다 끌어 모아
전쟁 준비를 했지요. 고구려군과 백제군이
마주치는 곳마다 치열한 전투가 벌어졌어요.
하지만 한강과 예성강 유역에 미리 숨어 있던 고구려의 수군*들까지
힘을 합쳐 공격하자 백제는 점점 밀리기 시작했지요.

*수군 : 바다를 지키는 군대

고구려는 그 기세를 몰아 백제의 수도까지 쳐들어갔지요.

아신왕은 결국 두 손을 들 수밖에 없었어요.

아신왕은 스스로 성에서 걸어 나와 광개토대왕 앞에 무릎을 꿇었지요.

"앞으로 고구려를 주인 나라로 섬기고 받들겠사옵니다. 항복을 받아 주소서!"

아신왕이 고개를 조아리자, 고구려군의 함성이 하늘과 땅에 울려 퍼졌어요.

광개토대왕은 백제의 성 58개와 마을 7백 개를 얻고,

백제의 왕족과 대신 10명을 데리고 고구려로 돌아왔어요.

이로써 광개토대왕은 고국양왕의 유언을 모두 이루어 낸 셈이었지요.

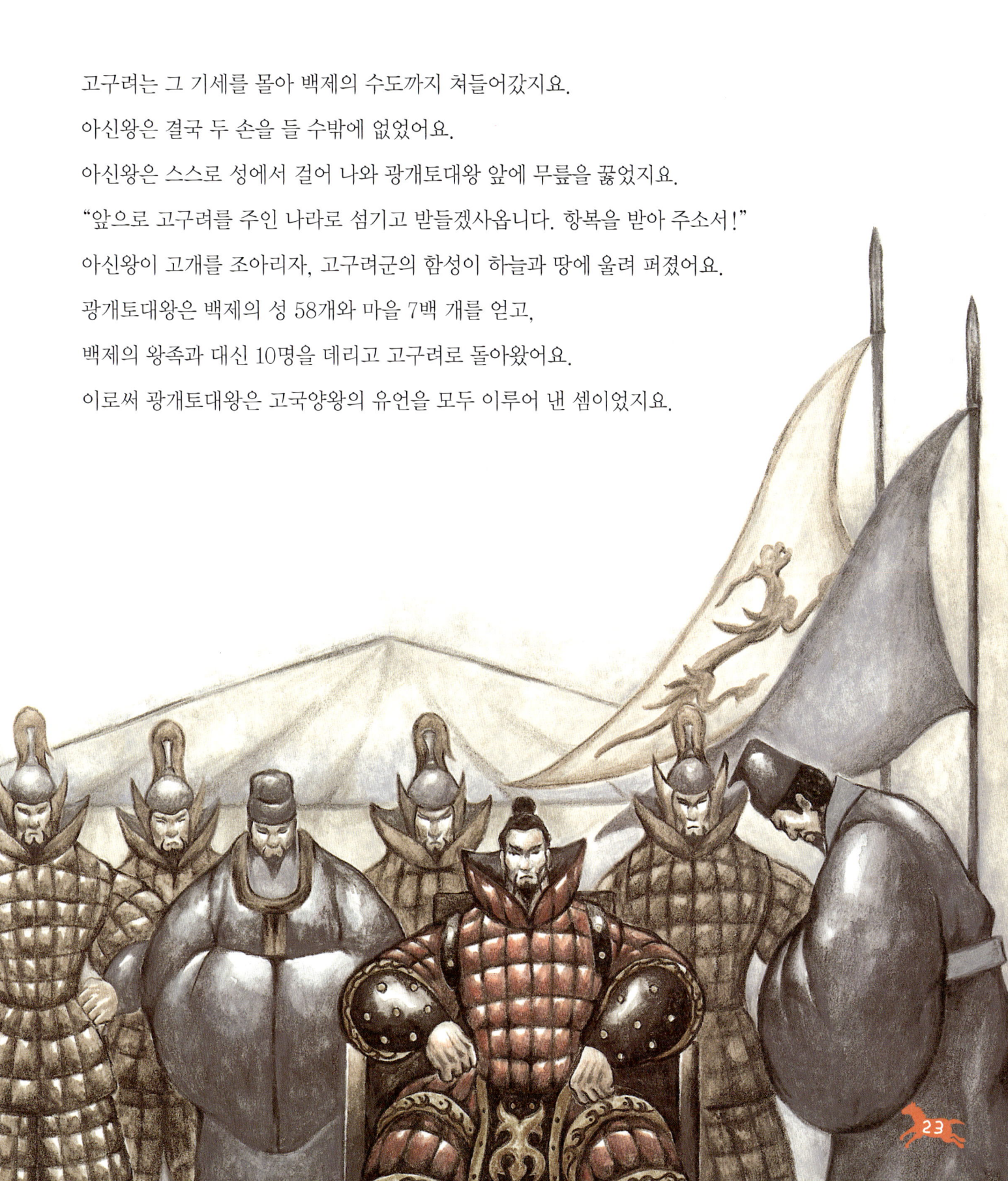

하지만 아신왕은 여전히 마음 깊이 광개토대왕에 대한 복수심을 품고 있었어요.

문득 아신왕의 머릿속에 왜나라가 떠올랐어요.

오래전부터 백제는 왜나라와 아주 가깝게 지내 왔기 때문이에요.

아신왕은 왜나라의 힘을 빌려 고구려를 공격하기로 결심했어요.

아신왕은 자기의 아들 전지 태자를 왜나라에 볼모*로 보내는 대신 지원군을 얻어 냈어요.

백제와 왜나라의 연합군은 고구려의 남서쪽을 공격해 들어왔어요.

아무래도 광개토대왕이 있는 국내성에서 먼 곳부터 공격하는 게

유리할 것이라고 생각했기 때문이에요. 하지만 아신왕의 생각은 빗나가고 말았어요.

광개토대왕은 이미 몇 년 전부터 왜나라의 움직임을 살펴보고 있었으니까요.

*볼모 : 약속을 지키겠다는 뜻으로 어떤 사람을 상대방에 넘겨주어 그곳에 머무르게 하는 일

'왜나라는 수군이 강하다. 분명히 고구려의 해안 지방으로 쳐들어올 것이다.'
왜나라의 계획을 눈치챈 광개토대왕은 몰래 남서쪽 해안에 고구려 수군을 숨어 있게 했어요.
그래서 백제와 왜나라 군사들은 뭍에 내리자마자 고구려군에게 공격을 받고 말았지요.
백제와 왜나라 군사들은 죽을힘을 다해 싸웠지만 이번에도 승리는 고구려의 것이었어요.
마지막 전쟁에서도 지고 말자 아신왕은 시름시름 앓다가
다음 해에 숨을 거두고 말았어요.

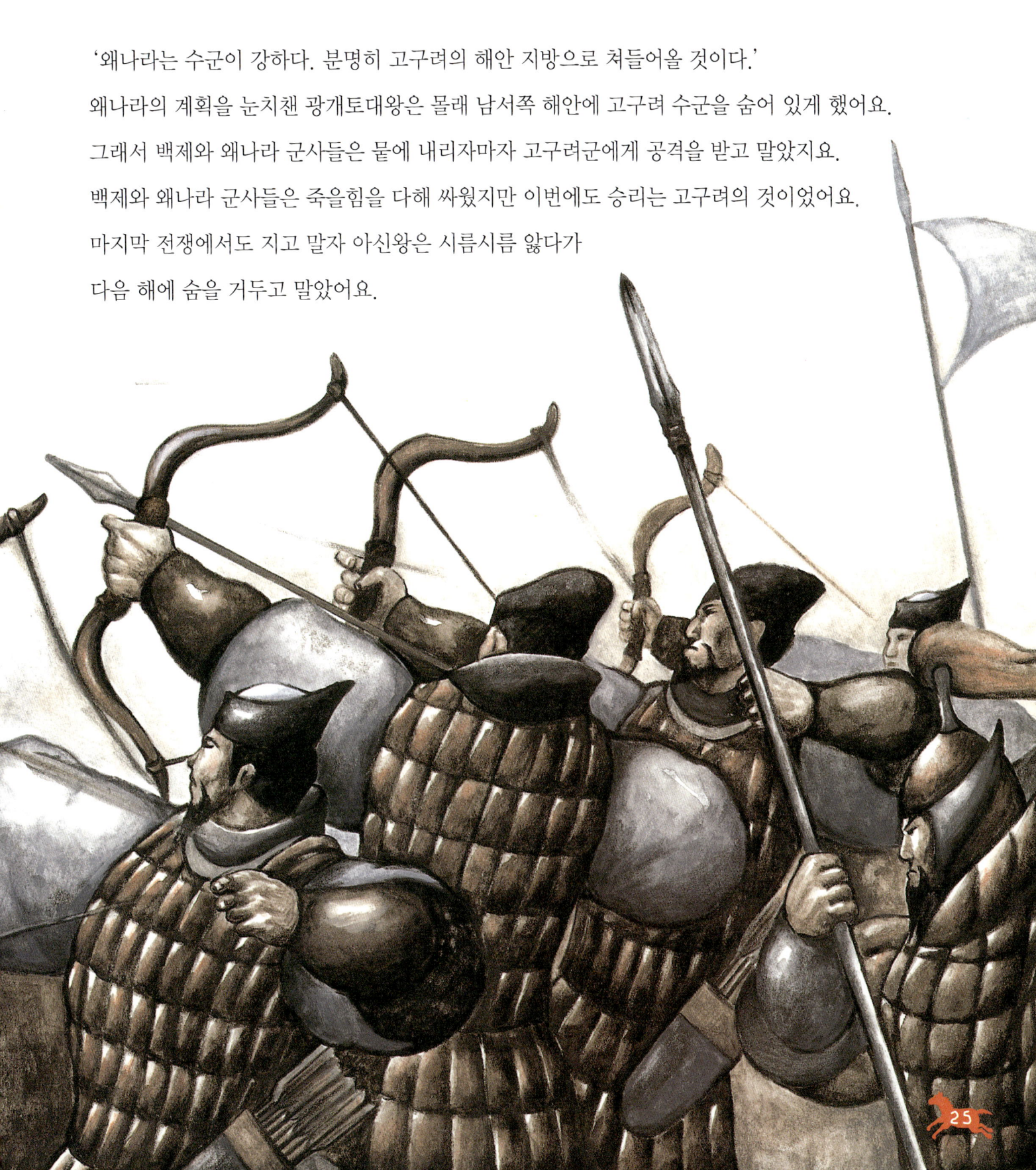

이제 한반도에서 광개토대왕에게
맞설 사람은 한명도 없었어요.
그즈음, 신라에서 사신*이 왔어요.
사신은 고개를 조아리며 말했어요.
"부디 저희 신라를 괴롭히는 왜구*를 막아 주십시오!"
그때만 해도 신라는 고구려와 백제의 눈치를 보는 약한 나라였어요.
게다가 왜나라의 해적이 자주 침략해 더욱 고통을 받고 있었지요.
그래서 신라의 왕이 광개토대왕에게 도움을 청한 거예요.
광개토대왕은 잠깐 생각에 잠겼어요.
'신라는 고구려의 적국이지만 우리와 같은 민족이다.
같은 민족이 다른 민족에게 당하는 것을 두고 볼 수는 없다!'
한반도에서 서로 국경을 맞대고 있다 보니
고구려는 백제, 신라와 싸우지 않을 수가 없었어요.
하지만 광개토대왕은 같은 민족인 신라가 왜나라 해적에게
고통을 받는 것은 고구려인이 고통을 받는 것과 마찬가지라고 생각했어요.
광개토대왕은 곧 군사 5만 명을 신라에 보내 왜구를 무찔렀지요.

*사신 : 나라의 명을 받아 외국으로 파견되는 신하
*왜구 : 옛날 일본의 해적

이제 광개토대왕의 꿈은 만주 대륙을 차지하는 것이었어요.
만주 대륙은 오래전 우리 민족의 시조인 단군이 고조선을 세웠던 지역이지요.
하지만 지금은 중국의 후연, 거란족 등이 차지하고 있었어요.

광개토대왕은 신라에서 왜구를 물리치자마자 곧장 만주 대륙으로 말을 몰아

후연과 거란을 멸망시키고, 만주 대륙 동쪽에 있는 북부여와 동부여도 정복했지요.

드디어 광개토대왕은 만주 대륙을 모두 차지했어요.

이로써 고구려는 7백 년간 중국에 빼앗겼던 고조선의 땅을 전부 되찾았지요.

이제 고구려는 남북으로 1천 리*, 동서로는 2천 리에 이르는 거대한 영토를 갖게 되었어요.

이때가 바로 고구려의 전성기였을 뿐만 아니라,

우리 역사에서 가장 빛나는 시기였어요.

그러나 안타깝게도 영웅의 삶은 짧았어요. 민족의 영웅 광개토대왕은 22년 동안

나라를 다스리다가 서른아홉 살의 젊은 나이에 세상을 떠나고 말았어요.

고구려 수도 국내성이 있던 만주 지안현에는 거대한 광개토대왕비가 우뚝 서 있어요.

광개토대왕비에는 22년 동안 광개토대왕이 이룬 빛나는 업적이 새겨져 있지요.

민족의 영웅 광개토대왕이 쌓아 올린 업적과 정신은

여전히 만주 대륙에 그대로 살아 있답니다.

*1천 리 : 약 3백93킬로미터

대륙 정벌을 향한 꿈
광개토대왕

우리가 흔히 알고 있는 왕의 이름은 왕이 세상을 떠난 다음, 그 뒤를 이어 왕위에 오른 왕과 신하들이 결정하여 붙인 것입니다. 즉, 세상을 떠난 왕이 살아 생전에 남긴 업적이나 성격 등을 파악하여 가장 적합한 이름을 짓는 것이지요.

우리 민족을 다스렸던 여러 왕들의 이름 가운데 가장 먼저 떠오르는 것이 아마도 광개토대왕일 거예요.

고구려 제19대 광개토대왕의 이름은 '나라의 땅을 넓게 개척했다.'라는 뜻을 담고 있습니다. 또한 광개토대왕을 '호태왕'이라고도 부르는데, 이것은 '매우 위대하고 크신 왕'이라는 뜻이에요. 이것만 보아도 고구려 사람들이 광개토대왕을 얼마나 존경했는지 잘 알 수 있습니다.

374년에 고국양왕의 첫째 아들로 태어난 광개토대왕은 391년에 아버지 고국양왕이 죽자 어린 나이에 왕위에 올랐어요. 이때만 해도 귀족들의 세력이 매우 강했어요. 귀족들의 눈 밖에 났다가는 곧바로 트집을 잡혀 왕위에서 쫓겨날 수도 있었답니다.

이런 상황에서 광개토대왕은 귀족들의 세력을 누르고 백성의 마음을 얻기 위해서 무엇인가 큰 업적을 보여 주어야만 했어요. 그래서 광개토대왕은 즉위하자마자 고구려 땅을 넓히기 위해 힘을 기울였답니다.

광개토대왕의 노력에 힘입어 고구려는 서쪽으로는 요동, 동쪽으로는 오늘날의 연해주 지역, 북쪽으로는 송화강 유역의 북만주, 그리고 남쪽으로는 한강 유역에 이르는 드넓은 땅을 차지한 거대한 나라가 되었지요.

「광개토대왕은 우리 민족 역사상 국토를 가장 크게 넓힌 왕이에요」

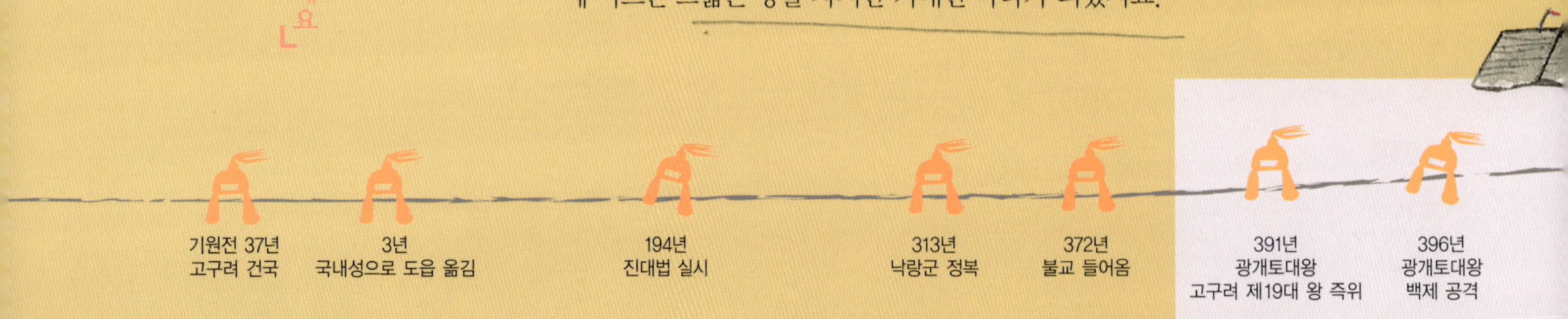

기원전 37년
고구려 건국

3년
국내성으로 도읍 옮김

194년
진대법 실시

313년
낙랑군 정복

372년
불교 들어옴

391년
광개토대왕
고구려 제19대 왕 즉위

396년
광개토대왕
백제 공격

광개토대왕과 관련 있는 인물들

고국양왕 : 고구려 제18대 왕

고구려 제17대 소수림왕의 동생으로 왕위에 있었던 기간은 384~391년입니다. 385년에 군사 4만 명을 이끌고 요동 지방을 공격하였고, 이듬해 백제를 공격하여 고구려의 국토를 넓히는 업적을 세웠습니다.

아신왕 : 백제 제17대 왕

아방왕 또는 아화왕이라고도 합니다. 왕위에 있었던 기간은 392~405년입니다. 아신왕이 왕위에 있는 동안 고구려의 광개토대왕의 남하 정책에 맞서 고구려군과 여러 차례 전쟁을 벌였는데 번번이 실패하고 말았으며, 396년에는 고구려군이 도성에까지 쳐들어와 왕의 동생과 대신들을 잡아가기도 했습니다. 399년에는 왜, 가야와 연합하여 신라를 공격했으나 광개토대왕에게 패배를 당했습니다.

알고 싶은 요모조모

고구려 사람들의 이상한 결혼 선물

고구려는 남으로 신라와 백제, 북으로 중국뿐만 아니라 여러 이민족의 나라와 국경을 맞대고 있었습니다. 그래서 고구려 사람들은 언제나 전쟁을 겪으며 살아야 했답니다. 젊은 남녀가 혼인할 때 가장 먼저 준비하는 물건이 죽은 사람에게 입히는 옷인 '수의'일 정도였지요. 하지만 그만큼 죽음을 두려워하지 않는 고구려 사람들의 용기를 엿볼 수 있는 선물이기도 합니다.

400년
광개토대왕
신라와 연합하여
백제, 가야, 왜 격퇴

410년
광개토대왕
동부여 정벌

427년
평양성으로 도읍 옮김

612년
살수대첩

660년
나당연합군
평양성 공격

668년
고구려
멸망

궁금증을 풀어 주는 미로여행

Q1 광개토대왕이 왕위에 올랐을 때 **고구려**는 어떤 상황이었나요?

Q2 광개토대왕은 왜 위험을 무릅쓰고 영토를 넓히기 위한 **전쟁**을 시작했을까요?

Q3 광개토대왕은 **정복 전쟁**을 많이 했는데 고구려 백성들이 싫어하지 않았을까요?

Q4 광개토대왕은 왜구의 침입을 받은 신라는 도와주었으면서 **백제**와는 왜 전쟁을 했을까요?

백제 근초고왕이 고구려 고국원왕을 죽인 후로 고구려 왕실은 힘을 잃어 갔어요. 이런 상황에서 어린 나이에 왕위에 오른 광개토대왕은 나라 안으로 나라 밖으로 힘을 길러야 했지요. 광개토대왕은 정복 전쟁을 벌여 영토를 넓히고 왕의 힘을 **강화**시켜야만 했답니다.

광개토대왕은 할아버지 고국원왕이 백제 근초고왕의 손에 죽었기 때문에 백제에 대한 **복수심**을 갖고 있었어요. 하지만 무엇보다 고구려에게는 신라보다 백제가 더 위협이 되는 나라였기 때문이지요. 그래서 신라와 힘을 합쳐 백제를 공격하려 했던 거예요.

광개토대왕이 나라를 어떻게 다스렸는지에 대한 기록은 전해 오지 않아요. 하지만 광개토대왕비의 내용에 '나라가 부강하고 백성이 편안했으며 오곡이 풍성하게 익었다'라는 내용이 있고 또, 광개토대왕이 나라를 다스리던 시절에 반란이 없었던 점을 보면 광개토대왕이 나라를 **편안**하게 다스렸다고 생각할 수 있어요.

광개토대왕이 왕위에 올랐을 때에는 삼국 가운데 **백제**의 힘이 가장 강했을 때였지요. 백제 근초고왕이 고구려를 침략하여 광개토대왕의 할아버지인 고국원왕의 목숨을 빼앗을 정도였으니까요. 하지만 그 이후 고구려의 힘이 강해져서 394년에는 고구려가 백제군을 수곡성에서 크게 무찌르고 396년에는 백제의 수도인 위례성을 공격하여 백제 왕의 항복을 받아 냅니다.